BALTHUS

BAL

Nouvelle édition   Avec 116 illustrations, dont 108 en couleurs

Stanislas Klossowski de Rola

Thames & Hudson

REMERCIEMENTS

Les éditeurs tiennent tout d'abord à exprimer leur profonde reconnaissance envers la Fondation Balthus, et surtout envers sa présidente la comtesse Setsuko Klossowski de Rola, qui ont généreusement mis à leur disposition les documents complémentaires pour cette nouvelle édition, après avoir déja fourni la plus grande partie de ceux qui en augmentaient la précédente. Nous aimerions aussi remercier ici Messieurs Thomas Fay, Martin Summers et la Lefevre Gallery, Madame Virginie Monnier, et Madame Bernard Hahnloser, ainsi que Sa Grâce le duc de Beaufort pour leur aide et leurs précieuses contributions. Nous souhaitons aussi exprimer notre gratitude envers tous les collectioneurs privés qui ont permis que leurs œuvres soient photographiées pour ce livre, ainsi qu'aux musées qui nous ont fourni des diapositives.

Enfin l'auteur et les éditeurs ne voudraient pas non plus oublier de saluer la mémoire de feu Pierre Matisse, ainsi que celle de la défunte Henriette Gomès, qui les ont aidés à réunir les photographies lors de la toute première édition de cet ouvrage.

L'édition originale de cet ouvrage a paru sous le titre *Balthus* chez Thames & Hudson Ltd, Londres.

© 1996 et 2001 Thames & Hudson Ltd, Londres
© 2001 Editions Thames & Hudson SARL, Paris, pour la présente édition

Œuvres © Estate of Balthus Klossowski de Rola

Cet ouvrage a été reproduit et achevé d'imprimer en septembre 2007 par l'imprimerie Conti Tipocolor pour les Editions Thames & Hudson. 1re réimpression

Dépôt légal : 4e trimestre 2001
ISBN : 978-2-87811-206-1
Imprimé en Italie

SOMMAIRE

INTRODUCTION

L'artiste reproche tout d'abord à la critique de ne pouvoir rien enseigner au bourgeois, qui ne veut ni peindre ni rimer, – ni à l'art, puisque c'est de ses entrailles que la critique est sortie. Et pourtant que d'artistes de ce temps-ci doivent à elle seule leur pauvre renommée! C'est peut-être là le vrai reproche à lui faire.

Charles Baudelaire

Le 18 février 2001 Balthus s'est éteint finalement délivré de ses dures souffrances, et des affronts que lui imposaient à la fois sa maladie et son grand âge en le privant, de plus en plus, de sa seule véritable raison de vivre qui était d'aller travailler dans son cher atelier.

Jusqu'au dernier moment, il refusa d'accepter l'inévitable, convaincu qu'il finirait par guérir et par se remettre au travail, intimement persuadé qu'un sursis lui serait offert afin qu'il puisse mener à bien ses ambitieux projets. La dernière nuit, il demanda à être transporté dans son atelier et, malgré d'insoutenables douleurs, passa plusieurs heures à réfléchir aux dernières touches qu'il porterait à son ultime toile, qui était provisoirement intitulée *L'Attente*. Quand on le ramena enfin dans sa chambre, il ne lui restait plus que quatre heures à vivre.

Avec sa mort, le monde perdait un grand peintre d'une intégrité inébranlable, tandis que je perdais un père chéri, un être délicieux, dont la vaste et profonde culture enrichissait les conversations que nous affectionnions tout particulièrement sur les sujets et les auteurs les plus obscurs.

Je tiens ici à saluer ma belle-mère, Setsuko, dont l'amour, la dévotion absolue, la vigilance, et l'extraordinaire patience ont aidé mon père à vivre, à survivre, et à continuer à travailler, ce qu'il n'aurait jamais pu faire sans elle. Setsuko est l'âme de la Fondation Balthus et son admirable ténacité a su à plusieurs reprises triompher d'obstacles qui paraissaient insurmontables.

Balthus arborait autrefois à l'égard de la presse un ironique et souverain dédain. Il ne donnait jamais d'interviews, et refusait toute apparition possible à la télévision. Nous nous gaussions ensemble de la pompeuse solennité avec laquelle certaines personnalités répondaient sur le petit écran aux questions qui leur étaient posées. « Et savez-vous pourquoi ?... » Nous nous exclamions en riant aux éclats.

Pendant longtemps, il ne laissa plus personne le photographier. Il n'aimait pas cela, disait-il. Aussi, même les intimes étaient contraints de se plier à sa volonté.

Il y eut cependant deux exceptions notoires. La première eut lieu en 1956, pendant la crise de Suez. Balthus, bloqué à Chassy par une pénurie d'essence, accepta alors de recevoir *Life* et Loomis Dean, et d'être photographié sous toutes les coutures, en échange de la mise à sa disposition d'une voiture et d'un chauffeur pour un déplacement urgent à Paris.

La seconde exception fut inspirée par un tout nouveau Polaroid SX-70 ramené un jour d'Amérique. Mon père, intrigué par l'étrange machine, accepta que nous nous photographiions ensemble. Je tenais l'appareil à bout de bras, et nos têtes se touchaient. C'était la première photo où l'on nous voyait tous les deux.

Il ne répondait pas, ou presque jamais, aux nombreuses lettres le sollicitant, venues du monde entier, qui s'amoncelaient désespérément dans un indescriptible désordre. Et il n'assistait que très rarement aux vernissages de ses propres expositions.

Un jour, tout à fait arbitrairement, il a accepté de recevoir quelqu'un qui, disait-il, « lui avait paru sympathique ».

C'est ainsi que, de fil en aiguille, une incroyable prolifération d'articles en tous genres a vu le jour au cours de ces dernières années, ainsi que plusieurs ouvrages d'entretiens. De plus, à ma stupéfaction, il avait finalement également accepté de se laisser filmer pour plusieurs documentaires. Il avait, m'expliquait-il, voulu faire plaisir et, en même temps, il avait éprouvé le besoin d'essayer d'expliquer la raison pour laquelle il peignait.

Cependant, il demeurait, malgré tout, toujours convaincu que les détails de sa vie privée n'avaient rien à voir avec sa peinture.

Cette conviction l'avait, en 1968, poussé à envoyer au critique d'art anglais John Russell, qui lui demandait des détails biographiques pour le catalogue d'une grande rétrospective à la Tate Gallery de Londres, un télégramme ainsi libellé :

COMMENCEZ AINSI : BALTHUS EST UN PEINTRE
DONT ON NE SAIT RIEN ET MAINTENANT
REGARDONS LES TABLEAUX.

Voilà bien l'essentiel : il faudrait commencer par regarder afin de voir, car l'œil, distrait et fatigué par les multiples sollicitations sensorielles de la vie moderne, devient inerte et l'on ne voit plus rien du tout. Alors, comme cela fait partie du snobisme culturel, on lit les notices puis, rassuré et se croyant « informé », on regarde vaguement, mais, au juste, que voit-on ?

Si l'on en juge par l'invraisemblable fatras de sornettes, de sottises et d'exégèses thématiques, le plus souvent d'une consternante stupidité, qui ont été écrites sur Balthus, on se rend compte qu'hélas, le voyeurisme a trop souvent pris le pas sur la voyance qui serait, elle, désirable. Je pense donc, sincèrement, que si l'on souhaite y voir clair, il faudrait peut-être s'essayer à la contemplation pour chercher à y parvenir. Par « contemplation », et il est, je crois, utile de le préciser encore une fois, j'entends une sorte de concentration de la vision provoquant la disponibilité intérieure requise par laquelle est rejointe l'unité entre l'être qui voit, la chose vue, et l'acte de voir. Peut-être alors, pourrait-on se rendre compte que, chez Balthus, l'espace n'existe qu'en tant que manifestation de la forme. La peinture ne représente plus quelque chose d'extérieur ou d'objectif, mais une vision pénétrante de la véritable Réalité intérieure, à la fois immanente et transcendante, qui peut ainsi s'exprimer par la forme, à fois symbole et véhicule de la suprême vérité picturale. « L'Occident, observe très justement André Malraux, connaît peu la Réalité intérieure, parce que notre individualisme tient toute Réalité intérieure pour subjective et la confond avec le caractère particulier qu'expriment les œuvres [...]. L'Extrême-Orient traditionnel ne s'intéressait pas aux sentiments personnels des peintres mais à leur faculté de sourciers.

La Réalité intérieure existait à l'égal de l'autre. La seconde était confirmée par le témoignage de nos sens ; la première par le témoignage d'un sens supérieur, que partageaient tous les hommes cultivés comme tous les croyants partagent le sens religieux. La réalité commune était celle des hommes du commun. Seul, l'art atteignait la Réalité intérieure ; on ne la connaissait pas on la reconnaissait [...]! »

« Ce qui est frappant chez moi, disait Balthus, c'est la fatalité de ma démarche. » Car, depuis sa plus tendre enfance, il s'était toujours senti poussé dans un sens à la fois précis, quoique indéfinissable. Encore tout petit, en regardant par hasard un livre sur la peinture chinoise il y découvrit alors sa propre vision de la Nature qui l'entourait.

Rainer Maria Rilke, dans une lettre écrite en 1922, se déclarait émerveillé par ce jeune garçon étrangement fasciné par l'Orient. « Quand nous sommes allés le voir à Beatenberg, en septembre, nous l'avons trouvé en train de peindre des lanternes chinoises avec un extraordinaire flair pour le monde oriental des formes. Puis, nous avons lu ensemble le petit *Livre du thé* : on ne peut guère imaginer d'où peut provenir sa connaissance si sûre des dynasties impériales et artistiques chinoises [...] »

Malgré un extraordinaire talent, déjà remarquablement visible dans les illustrations du *Mitsou*, préfacé par Rilke en 1922, ses débuts ne furent guère faciles.

Il voulait apprendre son métier mais Bonnard, ami de la famille, lui déconseilla toute école. Balthus en guise d'apprentissage fit de nombreuses copies, entre autres, Poussin et Chardin au Louvre, Piero della Francesca et Masaccio en Italie, Joseph Reinhardt à Berne.

Nous parlions souvent ensemble du problème de l'apprentissage du métier de peintre devenu si difficile de nos jours. Autrefois, sa technique et ses multiples secrets artisanaux s'apprenaient dans l'atelier d'un maître. Balthus déplorait, toujours avec éloquence, la perte de ces bases et l'extraordinaire appauvrissement qui en découle. Cette perte du vrai métier qui, paradoxalement, favorise la prolifération d'une foule de très mauvais peintres. Il comparait ce triste état des choses à celui dans lequel se trouverait quelqu'un qui voudrait écrire dans une langue dont il ne connaîtrait ni le vocabulaire, ni la grammaire, ni la syntaxe.

Longtemps, il chercha sa voie à tâtons avec l'énergie du désespoir, car c'était le langage pictural lui-même qu'il lui fallait redécouvrir et constamment réinventer.

Les étapes de son évolution artistique l'amenèrent, après ce qu'il appelait lui-même « les balbutiements de ses débuts », à ressentir l'impérieuse nécessité de saisir coûte que coûte le mirage de la réalité. Il me montrait la façon dont il fit les ombres portées, dans un détail de *La Montagne*, en m'expliquant que, par manque de métier, il employait alors des moyens plus liés au dessin qu'à la peinture. Puis survint le doute, accompagné des affres de l'angoisse car, disait-il, « la nature même de ce que je voyais m'échappait de plus en plus ». Mais cette longue et pénible épreuve allait, à la longue, lentement mais sûrement, favoriser le mûrissement nécessaire de sa vision afin que puisse finalement s'accomplir la mystérieuse transfusion qui fait d'une image de la peinture (ce que Braque appelle « le fait pictural »).

Chacune de ses œuvres récentes, était un pas de plus vers un mystérieux idéal, à la fois connu et inconnu, qu'il n'était jamais certain d'atteindre. Chacune d'elles exerçait par sa présence magique une fascination toute particulière sur le spectateur privilégié admis dans le sanctuaire de l'atelier. On ne pouvait qu'être émerveillé par les progrès constants de son audacieuse puissance d'invention, alliée à une prodigieuse érudition picturale qu'il déployait savamment dans son amoureuse célébration de la Beauté.

Balthus, malgré son grand âge et une santé de plus en plus fragile, continua à travailler et à peindre jusqu'à la fin, comparant l'acte de peindre à celui de prier. Ainsi, pas à pas, il se dirigeait vers cette Patrie du cœur retrouvée après l'Exil de la vie.

Selon la Baghavad Gita, l'homme dévoué à sa vocation découvre la perfection… Cet homme, dont la louange et la prière consistent à accomplir la tâche qui lui est propre, découvre par son propre travail la perfection. Hermès Trismégiste affirme que puisque le monde est Création divine, celui qui en rehausse la Beauté par sa diligence collabore avec la

Volonté divine. Sa récompense finale sera que Dieu nous rendra à la meilleure partie de notre nature, qui est divine.

Il est absolument nécessaire de répéter, à nouveau, que les jeunes adolescentes, dans les derniers tableaux de Balthus, n'avaient absolument rien à voir – ailleurs que dans l'œil du spectateur – avec une quelconque obsession sexuelle. Emblèmes d'un autre monde, archétypes angéliques, ces jeunes filles symbolisent par leur adolescence (du latin *adolescere* : croître vers) la croissance vers les cieux à laquelle Platon fait allusion dans le *Timée*.

Il est toutefois bien malheureux que l'on ait pu, que l'on puisse, confondre ses toiles érotiques telles que la magistrale *Leçon de guitare* avec de la vile pornographie. Une telle confusion est d'autant plus déplorable qu'elle ne peut alors qu'empêcher toute compréhension possible des divins mystères de l'Amour et du Désir.

Du reste l'on a tort de négliger dans son oeuvre natures mortes et paysages, qui expriment mieux que ses compositions caractéristiques sa véritable inspiration, tel que le soulignait avec une très grande justesse mon oncle Pierre Klossowski.

Je suis parfaitement conscient du fait que les critiques d'art resteront sans doute à nouveau sourds à mes propos, pour s'en tenir à leurs propres arguments. En effet, ces spécialistes n'éprouvent souvent aucun scrupule à négliger les intentions réelles des peintres si elles ne correspondent pas à leurs propres théories. Substituant l'étude de l'artiste à celle de son art, ils font fréquemment appel à une approche pseudo-psychologique pour essayer de tout expliquer. Beaucoup d'artistes se prêtent volontiers au jeu, flattés par l'intérêt qu'ils suscitent. Balthus, quant à lui, malgré les nombreuses concessions qu'il fit aux incessantes sollicitations qu'inspirait sa renommée mondiale, aspirait somme toute à la perfection anonyme de l'être débarrassé du fardeau de lui-même.

PLANCHES

Note de l'auteur

Les titres, donnés aux œuvres pour en faciliter l'identification et rarement
par Balthus lui-même, ne justifient aucune interprétation « anecdotique » que ce soit.

2   *Le Pont Neuf*   *c.*1927

◁ 1   *Autoportrait*   1940

3 *Café de l'Odéon* 1928

4   *Jardin du Luxembourg*   1928

5 *Les quais* 1929

6 *La rue* 1929

7–9 *La rue* 1933–35

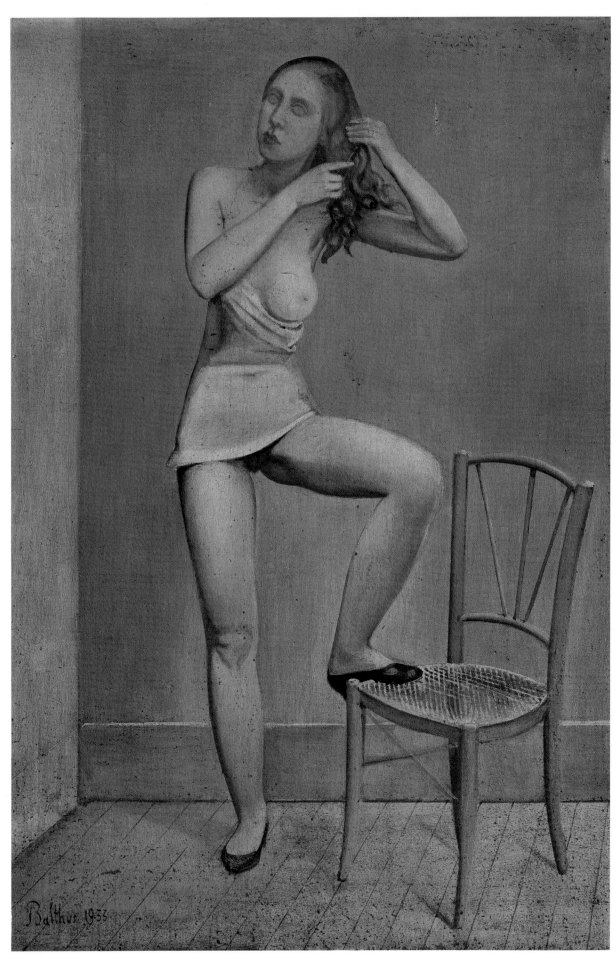

10 *Alice* 1933

11   *La toilette de Cathie*   1933

12, 13 *La famille Mouron-Cassandre* 1935

14 *Lelia Caetani* 1935

15, 16 *La montagne* 1935–37

17   *La leçon de guitare*   1934

18 *André Derain* 1936

19 *Thérèse* 1938

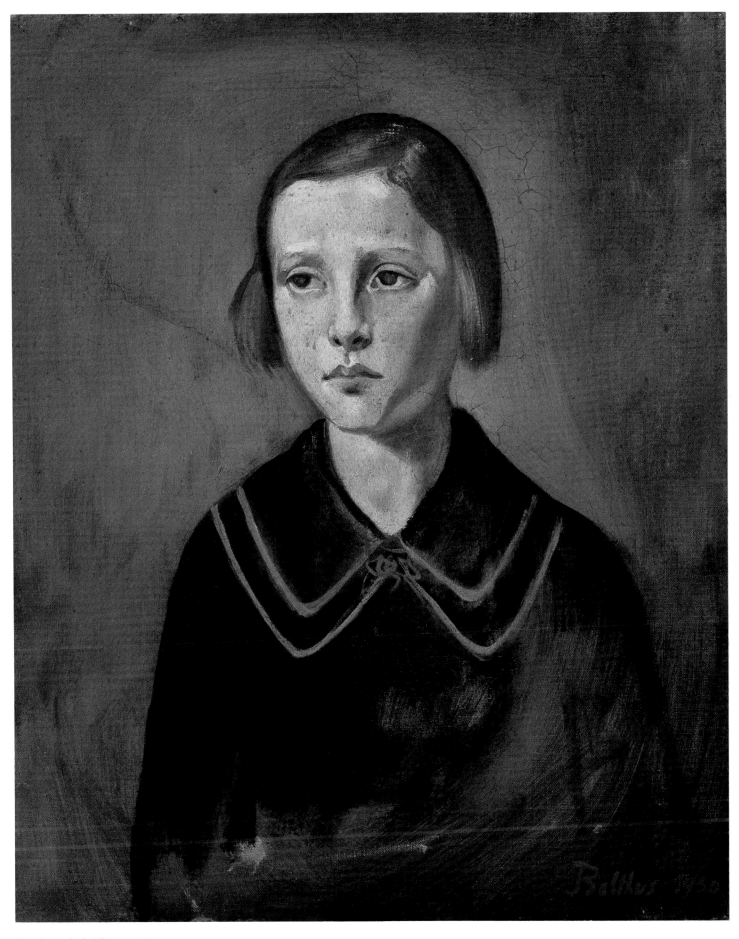

20 *Portrait de Thérèse* 1936

21 *Portrait de la Vicomtesse de Noailles* 1936

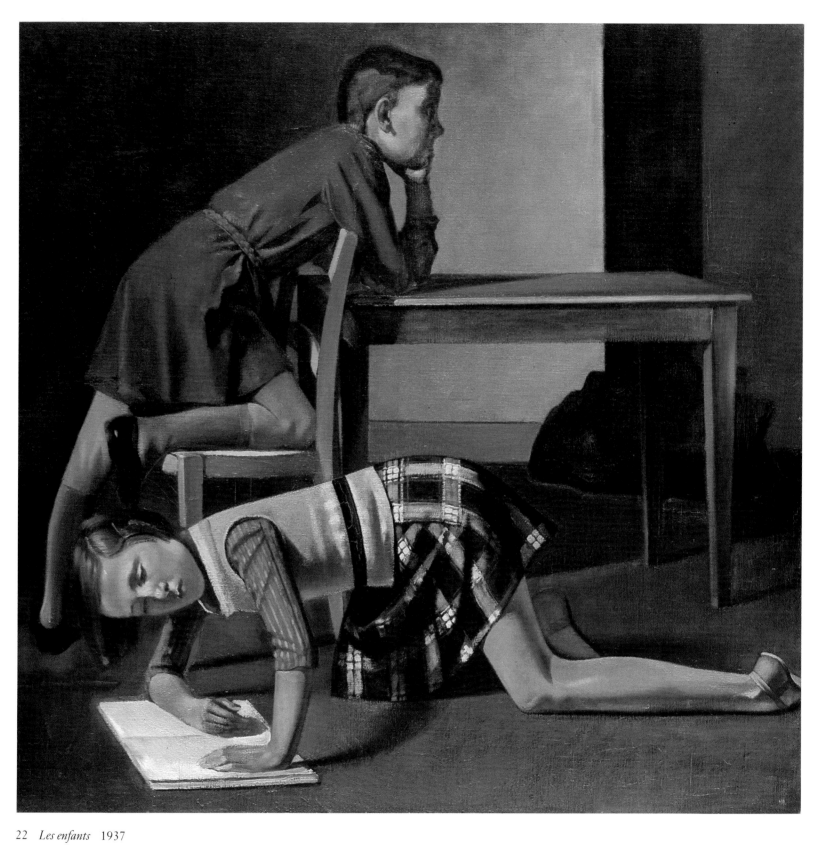

22 *Les enfants* 1937

23   *Jeune fille au chat*   1937

24   *Nature morte*   1937

25 *La jupe blanche* 1937

26, 27   *Portrait d'une jeune fille en costume d'amazone*   1932/1981

28   *Joan Miró et sa fille Dolorès*   1937–38

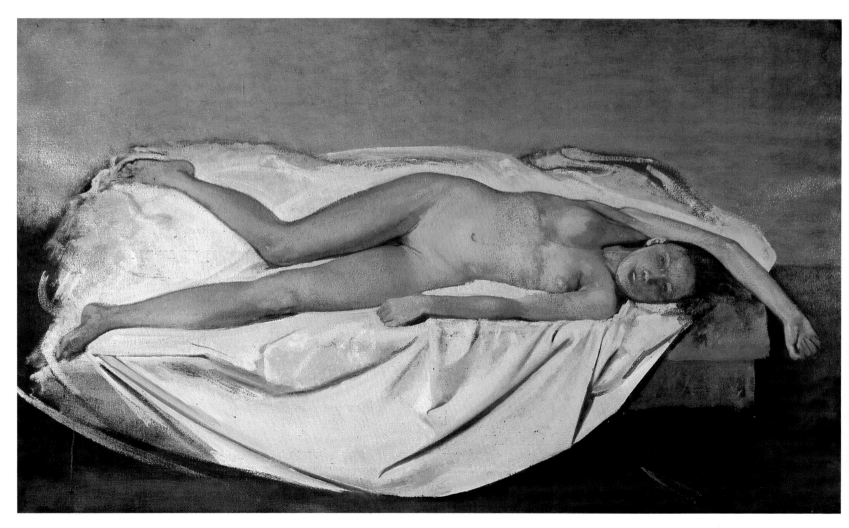

29   *La victime*   1938

30   *Thérèse rêvant*   1938

31, 32 *Autoportrait* 1940

33 *Larchant* 1939

34 *Le Gottéron* 1943

35   *Vernatel (Paysage aux boeufs)*   1941–42

36 *Le cerisier* 1940

37   *Jeune fille et nature morte*   1942

38   *Le salon*   1942

39, 40 *Paysage de Champrovent* 1942—45

41   *La jeune fille endormie*   1943

42 *La patience* 1943

43   *Jeune fille en vert et rouge*   1944

44 *L'écuyère* 1944

45, 46   *La princesse Maria Volkonski à l'âge de douze ans*   1945

47   *Le chat de La Méditerranée*   1949

48 *Les beaux jours* 1944–45

49 *Jeune fille à sa toilette* 1949–51

50   *La toilette de Georgette*   1948–49

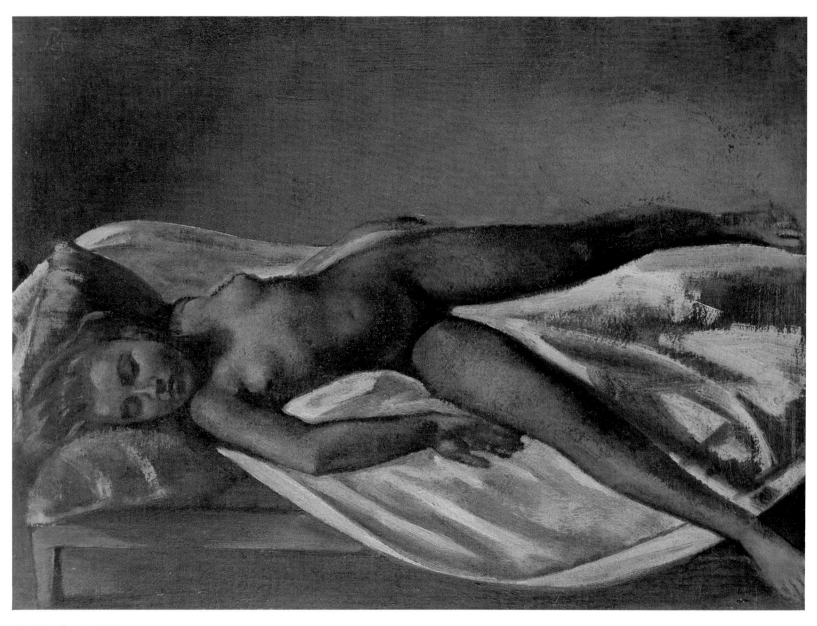

51 *Nu allongé* 1950

52   *Nu aux bras levés*   1951

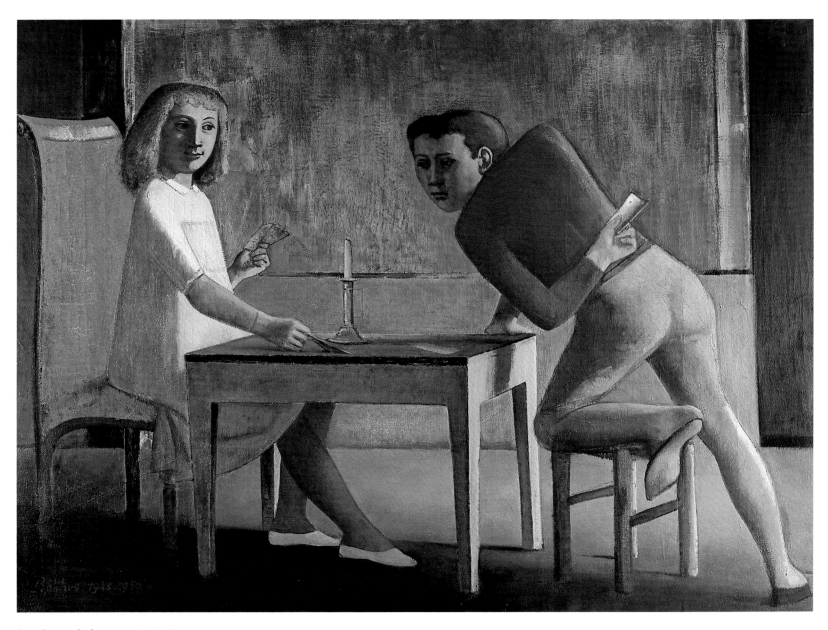

53   *La partie de cartes*   1948–50

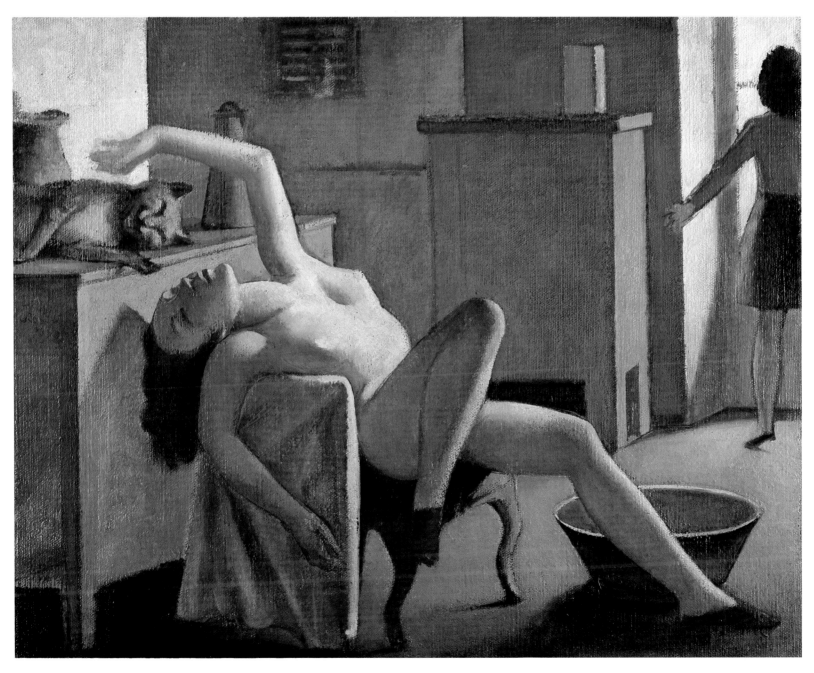

54 *Nu jouant avec un chat* 1949

55, 56 *La chambre* 1952–54

57, 58 *Le passage du Commerce Saint-André* 1952–54

59　*Jeune fille à la chemise blanche*　1955

60 *Frédérique* 1955

61 *Jeune fille à la fenêtre* 1955

62   *Grand paysage aux arbres (Le champ triangulaire)*   1955

63 *La patience* 1954–55

64 *Nu devant la cheminée* 1955

65　*Jeune fille endormie*　1955

66 *Golden Afternoon* 1957

67　*Nature morte*　*c.* 1956

68   *Le rêve I*   1955

69   *Le rêve II*   1956–57

70 *Nature morte dans l'atelier* 1958

71   *Jeune fille à la fenêtre*   1957

72   *La ferme à Chassy*   1958

73 *Jeune fille se préparant au bain* 1958

74 *Grand paysage avec vache* 1959–60

75 *Le phalène* 1959

76 *Nature morte à la lampe* 1958

77   *La tasse de café*   1959–60

78 *Grand paysage à l'arbre* 1960

79, 80   *La chambre turque*   1963–66

81   *Les joueurs de cartes*   1966–73

82, 83 *Japonaise à la table rouge* 1967–76

84 *Japonaise au miroir noir* 1967–76

85 *Katia lisant* 1968–76

86   *Nu de profil*   1973–77

87   *Nu au repos*   1977

88, 89   *Le chat au miroir I*   1977–80

90   *Paysage de Monte Calvello*   1979

91, 92 *Nu assoupi* 1980

93, 94 *Le peintre et son modèle* 1980–81

95　*Le drap bleu*　1981–82

96,97 *Nu au miroir* 1981–83

98   *Grande composition au corbeau*   1983–86

99, 101 *Nu à la guitare* 1983–86

100 *Nu couché* 1983–86

102, 103   *Le chat au miroir II*   1986–89

104, 105, 108   *Le chat au miroir III*   1989–94

106, 107   *L'attente*   1995–2001

LISTE DES ŒUVRES
ET
NOTES BIOGRAPHIQUES

Les dimensions des œuvres sont données en centimètres, la largeur avant la hauteur. Remarque : le terme « huile » a été choisi pour désigner l'ensemble des matériaux nécessaires à l'élaboration des « huiles sur toile ».

PHOTOGRAPHIES

I
Portrait par Man Ray, 1933
(© TMR/ADAGP, Paris,
1996, Collection L. Treillard)

II
Devant le château de Chassy,
France, par Loomis Dean, 1956
(Time Life Magazine/© Time
Warner)

III–V
L'atelier de Balthus à la Villa Médicis,
Rome, 1973, par Giorgio Soavi

VI, VII
Au Grand Chalet, Suisse, 1991,
par Henri Cartier-Bresson

VIII
Au Grand Chalet, Suisse, 1994,
par Martin Summers

PEINTURES

1 *Autoportrait* (détail)
1940
Huile sur toile
32 × 44 cm
Collection de l'auteur
Photo Joel von Allmen

2 *Le Pont Neuf*
v. 1927
Huile sur toile
Photo Toninelli, Rome,
collection de l'artiste

3 *Café de l'Odéon*
1928
Huile sur toile
79 × 100 cm
Collection privée
Photo Jacqueline Hyde

4 *Jardin du Luxembourg*
1928
Huile sur toile
55 × 46 cm
Collection privée
Photo G. Howald, Kirchlindach-
Berne

5 *Les quais*
1929
Huile sur toile
58 × 71 cm
Collection Pierre Matisse
Photo Galerie Pierre Matisse

6 *La rue*
1929
Huile sur toile
162 × 129,5 cm
Collection privée
Photo Galerie Pierre Matisse

7 *La rue*
1933-1935
Huile sur toile
240 × 195 cm
Collection du Museum of
Modern Art, New York,
don James Thrall Soby

8 *La rue* (détail)

9 *La rue* (détail)

10 *Alice*
1933
Huile sur toile
161 × 112 cm
Collection privée, Suisse
Photo Marlborough Fine Art
(Londres) Ltd

11 *La toilette de Cathie*
1933
Huile sur toile
59 × 65 cm
Musée National d'Art
Moderne, Centre Georges
Pompidou, Paris
Photo Jacqueline Hyde

12 *La famille Mouron-Cassandre*
1935
Huile sur toile
72 × 72 cm
Collection privée
Photo Maurice Aeschimann

13 *La famille Mouron-Cassandre*
(détail)

14 *Lelia Caetani*
1935
Huile sur toile
88 × 116 cm
Collection privée
Photo Fondation Pierre Matisse

15 *La montagne*
1935-1937
Huile sur toile
365,1 × 250 cm
Metropolitan Museum
of Art, New York. Acquisition,
don de M. et Mme Nate
B. Springold et Nathan
Cummings, fonds Rogers
et The Alfred N. Punnett
Endowment Fund, par échange,
et fonds Harris Brisbane Dick,
1982
Photo Galerie Pierre Matisse

16 *La montagne* (détail)

17 *La Leçon de guitare*
1934
Huile sur toile
138,5 × 161 cm
Collection privée

18 *André Derain*
1936
Huile sur bois
72,4 × 112,7 cm
Collection du Museum of
Modern Art, New York,
acquis grâce au legs Lillie P. Bliss

19 *Thérèse*
1938
Huile sur toile
81,3 × 100,3 cm
Metropolitan Museum of Art,
don de M. et Mme Allan D.
Emil en l'honneur de William
S. Lieberman, 1987
Photo Galerie Pierre Matisse

20 *Portrait de Thérèse*
1936
Huile sur toile
71 × 62 cm
Collection privé, Suisse
Photo Marlborough Fine Art
(Londres) Ltd

21 *Portrait de la Vicomtesse de Noailles*
1936
Huile sur toile
160 × 135 cm
Collection privée
Photo Jacqueline Hyde

22 *Les enfants*
1937
Huile sur toile
130 × 125 cm
Musée du Louvre, Paris,
donation Pablo Picasso
Photo Musées Nationaux, Paris

23 *Jeune fille au chat*
1937
Huile sur toile
78 × 88 cm
Collection M. et Mme
E. A. Bergman
Photo Galerie Pierre Matisse

24 *Nature morte*
1937
Huile sur panneau de bois
100 × 81 cm
Wadsworth Atheneum, Hartford,
Connecticut. Collection Ella
Gallup Sumner et Mary Catlin
Sumner 1938.272

25 *La jupe blanche*
1937
Huile sur toile
162 × 130 cm
Collection privée, Suisse
Photo Borel-Boissonnas

26 *Portrait d'une jeune fille en costume d'amazone*
1932, repris en 1981
Huile sur toile
52 × 72 cm
Collection de l'auteur
Photo Joel von Allmen

27 *Portrait d'une jeune fille en costume d'amazone* (détail)

28 *Joan Miró et sa fille Dolorès*
1937-1938
Huile sur toile
88,9 × 130,2
Collection du Museum of Modern
Art, New York. Fondation Abby
Aldrich Rockefeller, 1938

29 *La victime*
1938
Huile sur toile
220 × 133 cm
Collection privée
Photo Jacqueline Hyde

30 *Thérèse rêvant*
1938
Huile sur toile
130,2 × 150,5 cm
Collection privée
Photo Galerie Pierre Matisse

31 *Autoportrait* (détail)

32 *Autoportrait*
1940
Huile sur toile
32 × 44 cm
Collection privée
Photo Joel von Allmen

33 *Larchant*
1939
Huile sur toile
162 × 130 cm
Collection privée
Photo courtesy Electa

34 *Le Gottéron*
1943
Huile sur toile
99,5 × 115 cm
Collection P. Y. Chichong,
Tahiti

35 *Vernatel (Paysage aux boeufs)*
1941-1942
Huile sur toile
100 × 72 cm
Collection privée

36 *Le cerisier*
1940
Huile sur toile
73 × 92 cm
Collection M. et Mme Henry
Luce III
Photo Galerie Claude Bernard

37 *Jeune fille et nature morte*
1942
Huile sur bois
92 × 73 cm
Collection privée
Photo Jacqueline Hyde

38 *Le salon*
1942
Huile sur toile
146 × 114,3 cm
Museum of Modern Art, New York,
Estate of John Hay Whitney

62 *Grand paysage aux arbres*
    (Le champ triangulaire)
    1955
    Huile sur toile
    162 × 114 cm
    Collection privée
    Photo Jacqueline Hyde

63 *La patience*
    1954-1955
    Huile sur toile
    86 × 88 cm
    Collection privée
    Photo Jacqueline Hyde

64 *Nu devant la cheminée*
    1955
    Huile sur toile
    163,8 × 190,5 cm
    Metropolitan Museum of
    Art, New York. Collection
    Robert Lehman, 1975

65 *Jeune fille endormie*
    1955
    Huile sur toile
    88,5 × 115,9 cm
    Philadelphia Museum of Art.
    Collection Albert M. Greenfield
    et Elizabeth M. Greenfield

66 *Golden Afternoon*
    1957
    Huile sur toile
    198.5 × 198.5 cm
    Collection privée
    Photo courtesy Electa

67 *Nature morte*
    v. 1956
    Huile sur toile
    92 × 65 cm
    Collection Henri Samuel
    Photo Galerie Henriette Gomès

68 *Le rêve I*
    1955
    Huile sur toile
    162 × 130 cm
    Collection privée
    Photo Jacqueline Hyde

69 *Le rêve II*
    1956-1957
    Huile sur toile
    163 × 130 cm
    Collection privée
    Photo Jacqueline Hyde

70 *Nature morte dans l'atelier*
    1958
    Huile sur toile
    60 × 73 cm
    Collection privée
    Photo Jacqueline Hyde

71 *Jeune fille à la fenêtre*
    1957
    Huile sur toile
    162 × 160 cm
    Collection privée
    Photo Jacqueline Hyde

72 *La ferme à Chassy*
    1958
    Huile sur toile
    100 × 81 cm
    Collection privée
    Photo Jacqueline Hyde

73 *Jeune fille se préparant au bain*
    1958
    Huile sur toile
    97 × 162 cm
    Collection privée
    Photo Galerie Henriette Gomès

74 *Grand paysage avec vache*
    1959-1960
    Huile sur toile
    130,4 × 159,5 cm
    Collection privée
    Photo Galerie Pierre Matisse

75 *Le phalène*
    1959
    Huile sur toile
    130 × 162,5 cm
    Collection privée
    Photo courtesy Electa

76 *Nature morte à la lampe*
    1958
    Huile sur toile
    130 × 162 cm
    Musée Cantini, Marseille
    Photo Delleuse, Marseille

77 *La tasse de café*
    1959-1960
    Huile sur toile
    130 × 162,5 cm
    Collection privée
    Photo courtesy Electa

78 *Grand paysage à l'arbre*
    1960
    Huile sur toile
    162 × 130 cm
    Musée National d'Art Moderne,
    Centre George Pompidou, Paris
    Photo courtesy Electa

79 *La chambre turque*
    1963-1966
    Huile sur toile
    210 × 180 cm
    Musée National d'Art Moderne,
    Centre Georges Pompidou, Paris

80 *La chambre turque* (détail)

81 *Les joueurs de cartes*
    1966-1973
    Huile sur toile
    225 × 190 cm
    Museum Boymans–van Beuningen,
    Rotterdam

NOTES BIOGRAPHIQUES

Le comte Balthasar Michel Klossowski de Rola, dit Balthus, est né à Paris le 29 février 1908. Son père, Erich, était historien d'art, artiste peintre et décorateur de théâtre. Sa mère, Baladine, artiste peintre également, devint par la suite la muse de Rilke. Son frère aîné, le romancier-philosophe Pierre Klossowski, né en 1905, est lui aussi un peintre bien connu resté juqu'à récemment très actif. Les amis de la famille comprirent de très nombreux artistes dont André Gide et le peintre Bonnard. En 1922, parut *Mitsou*, un livre de dessins de Balthus préfacé en français par Rilke.

Balthus s'initia à la peinture en copiant Poussin au Louvre puis Giotto, Masaccio et Piero della Franscesca en Italie.

En 1934, il obtint sa première exposition personnelle à la Galerie Pierre. Cette exposition suscite l'admiration d'amis tels qu'Antonin Artaud, Pierre-Jean Jouve, André Derain, Alberto Giacometti et Pablo Picasso. Picasso devait d'ailleurs, en 1937, acheter *Les Enfants*. C'est en 1937 qu'il épouse sa première femme, Antoinette de Watteville. Mobilisé en 1939, il est envoyé au front en Alsace. Blessé, il est démobilisé et quitte Paris pour la Savoie. Après l'invasion de la zone libre, il passe en Suisse le reste de la guerre où naissent ses fils, Stanislas (1942) et Thadée (1944). Après la guerre il retourne à Paris, puis déménage pour s'installer au château de Chassy, dans le Morvan. Il demeure à Chassy jusqu'en 1961. André Malraux, devenu ministre de la Culture, le nomme directeur de l'Académie de France à Rome. Il entreprend alors une restauration totale de la Villa Médicis et de ses jardins. En 1963, au cours d'une mission officielle au Japon, il rencontre sa future femme, Setsuko Ideta, qu'il épousera en 1967.

En 1973, Setsuko, elle-même peintre de grand talent, accouche d'une fille, Harumi.

En 1977, il s'installe en Suisse dans sa merveilleuse demeure alpestre, le Grand Chalet, à Rossinière au Pays d'En Haut.

En 1991, présenté par Jacques Chirac, il reçoit le prestigieux Praemium Imperiale décerné à Tokyo par la Japan Art Association. En 1998 il est promu Doctor Honoris Causa de l'Université de Wroclaw en Pologne.

Balthus est mort à Rossinière le 18 février 2001.

Parmi les nombreuses expositions qui lui ont été consacrées, nous citerons les rétrospectives suivantes : La Tate Gallery à Londres (1968), le Musée national d'Art moderne, Centre Georges Pompidou (1983), le Metropolitan Museum de New York (1984), le Musée des Beaux-Arts à Lausanne (1993), le Museo Nacional Centro de Arte Reina Sofia à Madrid (1996) et le Palazzo Grassi de Venise (2001-2002).